《 》에게

솔레이 (전예은)

나의 에필로그에게

그리고

당신들의 에필로그에게

에필로그

사랑을 해보지 않았지만, 사랑을 해보고 싶었고
청춘을 제대로 느껴보지 않았지만,
제대로 느껴보고 싶었던 날이 종종 있었습니다.

솔레이

목차

1부 청춘에 대하여

2부 사랑에 대하여

1부 청춘에 대하여

나의 에필로그에게

처음과 끝이 있다는 건 당연한 일이지만
우리의 청춘은 끝이 없을 거라는 바보 같은 생각을 했어
나이를 먹을수록 추억을 찾고 싶어 하지만
대부분 사람은 삶에 존재한다는 걸 금방 잊어버려
그래서 나는 우리가 적은 시나리오를 들여다봐

끝없는 여름을 기억하기 위해서 말이야

어쩌면 마지막이라는 우리의 장면은 달콤할 거야
끝없이 찾게 될 거야
그러다가 언젠가 돌아올 거야

마치, 부서진 파도 위를 달려가는 느낌이었어

수많은 별과 꽃

수많은 별 중 하나는 우리가 만든 별이겠지
수많은 꽃 중 하나는 우리가 피운 꽃이겠지

수많은 생각들을 하면서 깨달은 게 있어

우리가 함께했던 추억을 버릴 수 없구나
우리가 함께했던 여름은 지울 수 없구나
결국 나는 이렇게 또 제자리로 돌아가는구나
너를 영원히 바라보며 살아가겠구나

그렇게 우리는 지나간 여름을 떠올리고

푸른빛 바다

푸른빛을 담아내고 잔잔한 바람을 느끼고 있다면
만약 당신의 시간이 바다처럼 영원하다면
우리의 청춘은 바다로 흘려보내자
어디로 떠나든 우리의 푸른빛 바다는 영원할 테니

영원한 푸른빛 바다여 우리의 청춘은 어디 있나요
저 멀리 흘러갔나요 아직 흘러가고 있나요
우리를 지나친 청춘이 어떤 의미였는지
우리에게 어떤 마음을 줬는지 이제는 알 거 같아요

우리의 청춘과 시간이 지워지지 않기를 바라요

추억을 향해

쓸모없는 추억은 아니겠지
추억은 우리에게 소중한 부분이고
절대 돌아갈 수 없으니까

그래도 꿈을 꾼다면 옛날을 꿈꾸고 싶어
우리가 나눈 추억을 꿈꾸고 싶어
찬란하던 청춘을 기억하고 싶어
그건 우리의 소망이기도 하니까
꿈을 이룰 수 있다면 나는 무엇이든 할 거야

그러니 같이 그 꿈을 이루고 돌아가자

너에게

얼어있던 세상에 다가온 너에게
사랑이란 꽃을 주던 너에게
늘 그랬듯 태양을 바라보는 너에게
이 모든 순간을 느끼게 해주는 너에게

너에게 나의 여름을 맛보게 해주고 싶어
너에게 나의 청춘을 느끼게 해주고 싶어
너에게 나의 파도를 보여주고 싶어

너와 함께 맞는 첫 번째 여름은 어떨까
여름의 시작과 끝자락에서 만나자
그렇게 우리의 여름을 만들어보자

시간이 지나면

돌아가고 싶어, 찬란하게 부서진 바다로
돌아가고 싶어, 푸른 하늘을 바라보던 순간으로
우리가 함께 한 모든 것들이 나에게는 추억으로 남아버려서
가끔은 아주 가끔은 널 잊지 못할 때가 있어

너도 이런 기분을 느끼는 걸까
너도 나를 그리워하며 숨을 쉬고 있을까
시간이 지나 그리워지면 돌아와 줄래?

여름에게

무채색 계절을 지나 기적처럼 돌아온 여름은
더욱 빛났으며 부서진 파도는 눈부시게 아름다웠고
우리의 추억은 마치 푸른 하늘처럼 빛이 났어
아직 미완성인 우리의 여름에게
우리는 아직 푸른 하늘을 보고 있어
우리는 아직 여름의 추억을 그리고 있으니

언제든지 돌아와
다시 한번 여름을 느끼고 싶어

녹음(綠陰)

봄을 지나 여름의 계절에 들어선 지금
푸른 잎이 흔들리고 선명한 햇빛이 비치고 있는 순간
기적처럼 우리의 곁에 돌아온 계절에게
반짝이는 빛을 향해 뛰어가고 싶을 정도로
다시 한번 잊지 못할 추억을 지나자
그렇게 지나지 못한 그늘을 지나가자

우리의 계절

여름이 끝났으면 해
라고 하던 너는 여름을 무지 싫어했지만

여름이 끝나지 않았으면 해
라고 하던 나를 위해 기차 위를 올라탔지

너와 함께한 시간은 영원해지길
우리는 추억의 끝에서 내리자

이제는 너도
여름이 끝나지 않았으면 해
라고 했으니까 여름은 우리의 계절이 된 거야

한여름의 막

이제 막 시작된 여름이 우리의 곁에 맴돌아
한여름에 피어나는 불꽃처럼 우리의 청춘은 뜨겁게 막을 열어

유리에 비친 우리의 모습은 마치 흔들리는 꽃을 닮았어
파도에 젖어 든 추억은 한여름의 막으로 흘러가고 있어
우리가 보내는 여름은 파도처럼 흘러가겠지?

작은 불꽃이어도, 부서진 파도 위라도
우리의 여름은 분명 행복할 거야

청춘이라는 계절

이미 철들어버린 나이는 어느새 꿈을 꾸고 있어
우리의 사랑은 서툴렀으며 우정은 넘치기도 했지

하고 싶은 것만 하기에는 성숙하고
하기 싫은 것만 하기에는 어리기만 해

하지만 우리는 이런 청춘이어도
이런 여름을 보내기로 했어
우리의 여름은 청춘이라는 계절이니까

발자국

우리의 모든 걸음이 추억이 될 거였나 봐
우리의 모든 추억이 여름이 될 거였나 봐

지금 걸어가는 순간들이 우리에게 피어나는 불꽃이기를
어떤 순간이 와도 여름을 잊어버리지 않기를

우리의 모든 순간이 온 힘을 다해 걸어가는 이유는
추억과 여름을 지키기 위해 걸어가는 거였나 봐

반딧불

어떤 여름은 빛나며 찬란하고
또 어떤 청춘은 잔잔하게 흔들리기에
그래서 그 모든 순간이 아름다운 건 아닐까
내 삶에 찾아온 청춘이 어떤 형태로 오든
찬란하고 빛이 나니까, 그렇게 최선을 다하는 거야
나에게 찾아온 여름과 청춘이 빛날 수 있게
그리고 나에게 다가온 네가 빛날 수 있게

여름이려나

내가 살아가는 세상을 보여주고 싶어

우리가 살아가는 세상이 조금 더 따듯한 세상이었으면
조금 더 사랑스러운 세상이었으면
여름의 절반을 우리에게 걸어보았을 거야

우리가 가진 추억은 뭐든 이길 수 있을까?
그 어떤 것들도 지나칠 수 있는 게 여름이려나
우리의 여름은 그렇게 흘러갔으면 해

지나친 여름

시간이 지나 여름이 우리를 지나치더라도

쉽게 사라지지 않는 추억을 간직할게
네가 나에게 다가온 순간을 기억할게
그래서 우리의 청춘을 지켜내 볼게
약속해 파도가 잠잠해지더라도 웃어볼게

그렇게 여름을 만들어갈게

여름의 편지

여름이 끝나 너에게 편지를 써

보고 싶은 마음을 담아
좋아하는 마음을 담아

가끔 너에게 가는 꿈을 꾸곤 해
서툰 내 마음이 닿을 수 있다면 뭐든 할 거야
이런 것도 여름의 한 조각 아닐까
나는 추억의 한 조각이더라도 좋아

기록

첫 번째 봄을 함께하고
두 번째 여름을 함께하고
세 번째 겨울을 함께하고
네 번째 겨울을 함께했던 우리는 어떤 청춘이려나

세상이 우리의 편이라면 우리의 청춘은
빗물처럼 스며들고 점점 말라 가지 않을까
하지만 이 세상이 말라가도 우리의 여름과 청춘은 빛나며
저물어가겠지

어떤 순간에 밝게 빛나고 사라지겠지만
이 순간만 있는 청춘은 아니기에
우리의 모든 순간을 기록해 보자

타임캡슐

그거 알아? 기억은 타임캡슐과 비슷하다는 거
내가 나의 모든 시간을 기억하지 못하는 것은
너무 소중한 기억이라 영원히 잊어버리지 않게
다치지 않게 고이 담아 두었기 때문이라고
하지만 그 기억들은 시간이 지나면서 아파하고
아파하다가 또 다른 기억으로 묻어지겠지

죽기위해 살아가는 날들

우리의 인생은 어디로 흘러가는 걸까

나는 이런 질문을 몇 번이고 몇 번이고 던졌다
내 인생에 사랑이라는 게 존재할까?
존재한다면 죽기 위해 살아가는 건 뭘까
사랑 같은 거 없어도 되는 거야?
누구라도 대답해 줘

사랑이 없다는 건 분명 거짓말이야

형태는 보이지 않아 그저 느껴보는 거지
사랑이 이어질 수 있도록 희미해지지 않도록
청춘 같은 거 필요하지 않아
청춘은 사랑으로 변해가는 과정일 뿐이니
원래 인생의 절반은 사랑으로 빛나는 거야

불꽃놀이

있잖아, 이대로 오늘이 지나가면
나는 무슨 말을 해야 하지?

둘이 걸어볼까?
그게 좋을 거 같아

우리는 아직 갈 길이 멀거든
저녁노을이 질 때면 불꽃놀이를 하자
이 순간이 영원한 것처럼 말이야

오늘이 지나가도 이 순간만큼은 영원한 것처럼
저녁노을을 함께 보는 것처럼
이 모든 게 꿈을 꾸는 거 같아
우리의 새로운 여름이 반복되길

달빛 색의 우울

달빛을 마시고 싶어
나에게도 빛나는 것들이 있으면 좋을 텐데

텅 빈 방에는 달빛만 내리고 있어
마치 밝은 색깔의 우울인 거 같아
그렇구나라고 말해도 괜찮아

어느새 밖은 푸른 하늘이 칠해지고
밝기만 한 우울이 점점 저물어가
내가 느낀 건 달빛 색의 우울이었어
점점 달빛으로 물들어 가면 좋을 텐데 말이야

페이지를 넘기며

인생은 마치 책과 같은 거 같아
한 페이지마다 너의 인생이 들어 있지
어느 날 가다가 넘어질 수 있고, 찢어질 수 있지만
그 페이지는 언제든지 넘길 수 있으니까
세상이 끝난 듯 너의 인생을 포기하지 말아 줘
너의 책을 버리지 말아 줘
그렇게 계속 살아줘
내 옆에서 밝게 웃어줘

초여름

있지, 나는 뜨거운 여름보단 조금은 선선한 초여름을 좋아했고
미성숙한 사랑보단 설레는 분위기를 좋아했어
그해 우리가 맞았던 해는 봄과 여름 사이 딱
그쯤이었던 거 같아
이것도 완전하지 않았지만 그래도 좋았어
앞으로의 해가 기대될 만큼

우리는 또 어떤 초여름을 맞이하려나

모든 이유

나의 모든 이유에 네가 있는 거라면
나는 그 이유를 놓지 못하고 맴돌기만 했을 거야
네가 전해준 마지막 말은 나에게는 따듯한 웃음으로 돌아왔고
슬픔이 아닌 행복을 처음으로 느꼈던 날이었지

그러니까 너도 살아줘
살아서 있는 힘껏 웃어줘
그렇게 나와 함께 이 여름을 지나 줘

바래지는 것들

선명히 남아있는 것들과
그러지 않은 것들의 사이에서 나는 서성이고 있었어
그러다 문득 바래지고 있는 것들을 바라보며 생각했지

지금 나에게 바래지고 있는 것은 뭘까

흘러가는 시간 속에서 나는 천천히 빛을 잃어가고 바래지겠지만
그래도 별처럼 반짝이고 싶어

별처럼(Like a Star)

이제는 너무 당연하게 흘러가는 추억과 시간이
너를 찬란하게 빛내주는 별이었으면 좋겠고
그렇게 너를 빛냈던 별들마저 소중하게 생각하고
간직하면 좋겠어
당연하게 생각했던 것들이 너를 빛나게 하는 모든 것이니까

빛나는 별처럼 시간이 흘러도 우리는 영원히 빛날 거야
항상 곁에서 늘 그랬듯이 머물러줘

잊을 수 없는 것

너와 잊을 수 없는 여름을 보내고
너와 잊을 수 없는 추억을 만들고
너와 잊을 수 없는 청춘을 그리고
너와 함께한 모든 것들이 처음이어서 그런 걸까
점점 너와 함께하는 시간이 길어져서
잊지 않기 위해 너와 나누던 편지를 읽고 있어

유리조각

여름의 기적은 지나간 청춘을 놓고 가며
부서진 유리 위를 걷는 것처럼 따가운 상처를 만들고

마음 한편에 있는 유리 조각은 또다시 상처를 내지만
모든 상처가 아물 때까지 청춘을 기억하고 싶다는 의미이고
그렇게라도 아픈 청춘을 간직하고 싶다는 의미이기도 해
그러니까 이 말은 그만큼 아파도 괜찮다는 말이야

상처를 낸 유리 조각은 또다시 상처를 만들지만
우리는 분명 괜찮을 거야

열차

청춘의 끝자락에 서 있는 우리의 낭만은
하늘을 보며 노래하고 있어
일렁이는 그림자를 보며 감상하고 있어

청춘의 끝자락, 낭만의 시작이라는 느낌은 뭘까
끝없는 열차와도 같은 느낌이려나

청춘의 시작

청춘의 시작은 편지로부터 시작된다고 하지
첫 문장은 늘 안부를 묻지만
밝게 웃던 너를 기억하고 싶어서 물어보는 안부일 거야
서로의 안부를 물어보는 것만 해도 청춘의 종이 울리고
종이 울리면 그 누구라도 청춘을 맞이할 수 있는 시작이 되니까

너에게 편지를 보내
청춘의 시작을 위해서 말이야

2부 사랑에 대하여

지워지지 않기를

수많은 시간을 함께했지, 우리
수많은 걸음을 함께 옮겼지, 우리
그렇게 수많은 것들을 함께 했지, 우리

가끔은 아주 가끔은 당신에게 가는 꿈을 꾸곤 해
이런 서툰 감정이 내 마음이 닿을 수 있다면 뭐든 할 거야

슬픈 사랑일지라도 우리의 사랑 부디 지워지지 않기를
기억을 잊어버려도 마음 한 곳에는 남아있기를
나를 기억해 주기를 나를 사랑해 주기를

당신을 만나서

사랑한다는 말은 어떤 이유이든 큰 힘이 돼
내가 사랑하는 당신은 나에게 사랑이라는 힘을 줘서
잠시 주저앉더라도 금방 일어설 수 있게 해

사랑을 믿지 못했던 내가 당신을 만나서 사랑을 배웠어
그래서 내 인생의 전부가 당신이면 좋겠어
내 삶이 다하는 순간에 당신이 있으면 좋겠어

사랑해 당신이 생각하는 어떤 사랑보다 더 많이

타투(TATTOO)

이미 오래전부터 비어버린 내 마음에
작은 타투를 새긴다면 가득 채워지려나
나의 마음을 바다에 새겨볼게
새롭게 새겨지는 타투는 또 어떤 마음일지
당신을 생각하며 새긴 타투들은 여전히 빛나고 있어

바래지는 기억

바래지는 기억을 붙잡고 있어
추억은 기억으로 남으니까 말이야
그래서 가을이란 계절에 당신을 그려보는 중이야
이런 내가 당신에게 사랑만 가져다준 거였으면 좋겠어

첫눈이 오면

첫눈이 오면 소원이 이루어진다고 하잖아
사실 첫눈을 맞아도 소원은 이루어지지 않는다는 걸 알지만

그래도 첫눈이 오는 매년 소원을 빌고 있어
혹시 모르잖아

당신이 여기에 나타날지
당신이 나를 바라봐 줄지
당신이 나를 사랑해 줄지
당신이 나를 안아줄지

기억의 한 조각

기억의 한 조각으로 돌아간다면
나는 여전히 당신을 사랑하고 있겠지
오늘의 해피엔딩을 만들며 살아가고 있겠지
살아가면서 괴로운 일도 힘든 일도 모두 당신으로 치유되겠지

이 순간마저 당신을 생각하는 나는
어쩌면 처음 본 순간부터 사랑했을지도 모르겠어
나에게 사랑이 존재해서 얼마나 행복한지 몰라
사랑을 알려준 당신을 앞으로도 사랑할게

멈춘 시간

만약, 당신을 만나지 못했다면
만약, 당신이 결국 나를 잊어버렸다면
만약, 당신이 나를 만나러 와주지 않았더라면

멈춘 시간을 걸어온 당신은 여전히 나를 환하게 비춰
아픔에 무뎌지면서까지 사랑을 하기 위해서 나아가고 있고
여전히 멈춘 시간을 걸어가고 있겠지만
이런 나는 또 여전히 당신을 사랑하는구나

사랑의 형태

잘 견디고 있다고 생각할 때쯤
무너지고 있었지만 알아차리지 못한 건
당신의 사랑이 더 크고 반짝여서 그런 걸까?

당신의 한마디는 사랑해 보다 더 행복할 수 있다는 걸
생각지도 못했던 순간들이 나에게 사랑의 형태로 찾아왔어

당신을 위해

이 세상 어딘가에 영원이라는 것이 있다면
만약 내 삶을 영원과 바꿀 수 있다면
당신을 위해 내 삶을 걸어보았을 거야

그렇게 시간이 지나 우리의 사랑이 영원하기를
숨이 차도록 뛰고 웃을 수 있기를 그렇게 살 수 있기를
우리의 인연은 그렇게 살아가기를
찬란하게 그 누구도 부럽지 않은 사랑 하기를

일상

평범한 일상에 우리가 존재하고
그저 흘러가는 날에 사랑이 존재해
특별하지 않아도 어느 날 새삼 깨닫게 되는 거 같아
평범한 날에 우리는 절대 평범하지 않은 사랑을 하는걸
별 볼 일 없는 일상에 사랑이 존재한다는 걸

이 순간들이 영원하기를
내 곁에, 우리의 곁에 남아있기를

고백

당신에게 좋아한다고 말하지 못한 건
그저 내 표현이 서툴렀을 뿐이라고
나는 당신에게 헷갈리는 사랑을 주었구나
당신이 일어난다면, 내 곁에 돌아와 준다면 제대로 전할게

좋아해 당신을 사랑하고 있다고

이런 말들을 좋아한다면 몇 번이든 해줄게

PROMISE : 봄

매일 같은 일상을 반복하다 어느새 봄이 되었어
지난 사계절을 어떻게 지냈는지 기억조차 나지 않았고
바보같이 굴기에는 시간이 많이 지나있었지

어느새 나는 삶에 대해 진지하게 생각하고 있어
좋아하는 책을 읽으면서 좋아하는 음악을 들으면서
좋아하는 것들만 했던 모든 시간이 내겐 꿈같은 시간이었어

하지만 이제 현실을 마주쳐야 하는 시간이 되어버린 거야
봄은 꽃이 가득한데 정작 내 마음은 꽃이 하나도 없었던 거지
그렇게 시간만 흘러가는 중에 당신을 만났어

난 언제나 누군가를 바라보고 이야기를 들어줬었는데
처음으로 내 이야기를 했던 날이었지
그래서 나에게 이 모든 것들은 처음이었어

언젠가 시간이 지나면 또 나를 만나러 와줄래?
당연히 당신과 함께했던 약속들은 잊지 않을게
보고 싶어 만나러 와줘

REMEMBER : 여름

언제부터인가 당신을 기다리는 시간이 길어졌고
나도 조금은 지쳤고 힘들기도 한 시간이었지만
그 시간마저도 반짝이는 모든 순간이었어

긴 기다림 끝에 함께 바다에서 놀아보기도 했고
서로 좋아하던 곳들을 함께 걸어보고 좋아하는 것들을 하면서
점점 더 당신과 함께하는 추억들이 너무나 소중해서
이런 순간들이 영원하기를 바랐고
기억의 필름이 끊어지지 않기를 바랐어
이 순간이 영원히 기억되길

고마워, 평생 잊지 못하는 순간들을 남겨줘서

REWIND : 가을

시간이 지나 언젠가 이 세상이 당신을 기억하지 못할 때
기억을 되돌려 당신에게로 달려갈게

이 말을 들으면 분명 당신은 화를 내겠지?
하지만, 이 선택에 후회는 없어
기억을 되돌린다는 건 우리에게 수많은 의미가 담겨있으니까

나는 여전히 전할 수 없는 말을 적어보려 해
사랑을 전한다는 건 어려운 일이지만
사랑을 전할 수 있는 그날까지 시간을 되돌려 볼게
그렇게 당신을 사랑해 볼게

어쩌면 한참 전부터 당신을 사랑하고 있었을지도 모르겠어

FORVER : 겨울

봄을 지나, 여름을 지나, 가을을 지나, 드디어 겨울이 왔어
우리가 지나왔던 모든 시간이 파노라마처럼 지나가
당신을 알아가면서 참 많은 추억을 지나왔네

아마 이 편지를 끝으로 전달하지 못할 거 같아
이 말은 당신에게로 도착했다는 뜻이고
영원히 당신 곁에 있겠다는 뜻이야

우리는 처음이자 마지막 사랑이면 좋을 거 같아
서로 영원을 약속하는 건 바보 같은 소리이겠지만

우린 그 바보 같은 약속을 해보자
이 순간들을 영원히 기억해 보자
길고 긴 시간을 되돌려보자
어떤 순간이 와도 영원해 보자

안녕, 마침내 도착했어

함께 한다는 것

함께 여름을 지날 거야
함께 사랑을 만들 거야
함께 운명을 찾을 거야
함께 할 수 있는 모든 걸 해볼 거야
그렇게 삶이 다 할 때까지 당신과 함께할 거야
나의 인생에 당신이라는 사랑이 찾아와서 참 다행이야

언제 쯤

해가 뜰 때쯤 도착하려나?
매일 당신을 잊으며 떠올리지 않아
우리가 함께했던 추억이 지워지고 있어

그렇게 흑백으로 물들이고

달이 뜰 때쯤 도착하려나?
매일 밤 당신을 그리며 떠올리고 있어
우리가 함께했던 추억이 지워지지 않아

그렇게 색으로 물들이고

말하지 못한 것

고맙다고 말하지 못한 것
보고 싶다고 말하지 못한 것
사랑한다고 말하지 못한 것
모든 말을 전해주지 못한 것에 대해 생각해

시간이 지나 깨닫는다
너를 지독히도 사랑했음을
끝없는 사랑이 시작되었음을

나는
당신을 사랑해
마치 끝없는 사랑을 당신과 하고 싶은 것처럼

어느 날에 우리는

구름이 흐려지는 날에 우리는
구름이 흘러가는 날에 우리는
사계절이 다가오는 날에 우리는
사계절이 끝나는 날에 우리는
그렇게 어느 날에 우리는
평범한 사랑을 하고 있어

아무것도 없어도 그저 말이더라도

괜찮아, 그저 괜찮다는 말만 할 뿐이지만
좋아해, 그저 좋아한다는 말만 할 뿐이지만
사랑해, 그저 사랑한다는 말만 할 뿐이지만

그래도 괜찮다고 좋아한다고 사랑한다는 말은
언제든 꺼내줄 수 있어
당신이 아무것도 없어도 그저 말이더라도
나는 우리만 있으면 되는걸

괜찮아, 좋아해, 사랑해 아무것도 없어도 그저 말이더라도
그저 우리의 사랑이 저물어가지 않기를 바라고 있어

시간

당신이 없는 이 세상은 당연하게 흐르고 있고
당신이 있던 지난 시간은 바래지고 있어

당신을 잊지 않게 흔적을 잊지 않기 위해
방 안에서 혼자 당신을 그려보는 중이야

나의 가장 찬란하던 그 시간에 당신이 있어 빛났고
아마 나는 당신을 평생 잊지 못할 거 같아

사랑해, 사랑해, 사랑해

사랑합니다 사랑해요 사랑해

난 지금 이 순간이 하나도 아깝지 않아
일상이 반복되어도 당신이 있어 특별해지겠지

난 늘 믿거든 당신이 잘 이겨낼 수 있다는 걸
언젠가 긴 시간 끝에 나를 기억해 준다면
나는 정말로 기쁠 거 같아

그러니까 이 말은 내가 당신을 사랑한다는 말이야

사랑합니다 사랑해요 사랑해

당신이 한 발짝 한 발짝 오며 나에게 해줬던 말이니까
꼭 기억해 줘

작별을 고하다

아침에 눈을 뜨며 서로를 새기던 숱한 날들
작은 행복이야말로 덧없는 사랑이었음을 알게 된
그 모든 날에 작별을 고한다

나의 마지막 순간까지도 모두 당신이었음을
사랑하던 모든 날에 당신이 있었음을
마지막의 마지막 순간까지도 나는 당신에게 사랑을 고한다

첫사랑

태양에 잠식된 것처럼 우리의 매 순간 뜨거웠고
마치 서로의 첫사랑인 것처럼 매 순간 따듯했지
사랑을 말하지 못한 날은 당장이라도 달려가고 싶을 만큼
곁에 있어도 계속 곁에 두고 싶을 만큼
우리는 서로의 태양이며 첫사랑이었지

기도

당신을 사랑하는 것처럼 나를 사랑해 주기를

나 역시

나를 사랑하는 것처럼 당신을 사랑할 테니

사랑이 담긴 모든 시간을 사랑할 수 있기를
끝없는 아픔이라도 그 아픔들을 사랑할 수 있기를

서로의 시간이 되어주기를
서로의 사랑이 되어주기를

사랑하는 방식

사랑한다고 말해주는 당신에게

사랑한다는 말을 매일 듣고 있어서 그런지
정말 사랑받는 기분이 들어
당신이 내 삶에 없었다면 이런 사랑은 꿈도 못 꾸었겠지?

이 사랑의 유효기간은 언제일까라는 생각이 들기도 하지만
사랑을 알지 못한 내가 진정한 사랑을 알게 된 건
모두 당신 덕분이야
그러니 나도 당신이 주는 사랑을 예쁘게 전해줄게

이건 내가 당신을 사랑하는 방식이야
사랑해 당신이 주는 사랑보다 더 많이

생각 끝에

사랑하는 사람과 같이 걸으면
시간이 빨리 지나가더라도
노을은 지지 않았으면 하고
시간이 느리게 지나가더라도
비는 멈췄으면 좋겠어

요즘은 이런 생각이 드는 밤이야
이런 생각 끝에 당신이 있으면 좋겠어

당신에게 닿기를

지나간 사랑을 되돌아보며

잘 지내고 있나요?
우리의 추억이 이렇게 또 지나가고 말았어요
영원하다던 당신의 목소리도 이제는 기억이 안 나요
이제는 시간이 너무 많이 흘렀으니 당연한 결과일지도
모르겠네요

하지만 그럼에도 나는 당신을 잊을 수 없어서 편지를 적어요
우리의 사랑이 당신에게는 어떤 느낌이었나요
아직도 눈을 감으면 당신이 불러 준 노랫소리가 들려요
잠 못 드는 밤에 무언가를 적는 건 당신 덕분이에요
지금은 만날 수 없지만 함께 한 추억을 떠올리면서
나를 기다려줄래요?

사랑을 당신에게 선물할게
부디 이 편지가 당신에게 닿기를 바라요

사랑하고 있어

나에게 사랑은 그저 좋아한다는 그 이상의 단어이지만
습관처럼 편지에 사랑이라는 단어를 적어놓곤 했어

사랑합니다 사랑해요 사랑해

소설을 보면 진정한 사랑을 만나 함께 이겨내는 이야기와
사랑으로 모든 것들을 내려놓을 수 있는 것들이 적어져 있잖아?
하지만 내가 사랑을 하면서 가진 전부를 줄 수 있을까라는
생각하게 되었어

사랑은 그저 쉬운 것이 아니라고, 그래서 어느 순간 나에게
꽤 어려운 숙제가 되었지만
언젠가 내가 사랑하는 사람을 만나게 된다면 전해주고 싶어

분명 사랑은 언젠가 다른 형태로 변하겠지만
지금, 이 순간만큼은 사랑으로 가득하니까
난 당신에게 내 모든 걸 전하고 싶어
이건 내가 사랑하는 방식이야

그러니 내가 이런 사랑을 전해도 당신에게
상처로 남아있지 않기를
훗날 우리가 각자의 사랑을 나눠줄 수 있도록
많이 아껴줄 수 있기를

사랑해
당신을 사랑하고 있어

당신들의 에필로그에게 (작가의 말)

우리는 우리가 지나온, 또 지나가게 될 모든 시간을 단연 기억할 수 없으며 지어낼 수도 없는 굴레에 갇혀있다는 생각을 문득 했습니다.
그런 시간을 반복하다 보면 <나에게 있는 기억>이 진짜 내가 기억하는 기억인지 그런 기억을 가지고 싶은 건지 헷갈릴 때도 많아지고 한숨만 나오지요.

사랑을 해보지 않았지만, 사랑을 해보고 싶었고 청춘을 제대로 느껴보지 않았지만 제대로 느껴보고 싶었던 날이 종종 있었습니다. 그건 아마 사랑과 청춘을 동시에 원하는 감정들의 애착이겠죠.
그렇다면 이 감정을 책에 담아보는 건 어떨까. 글을 적었던 순간의 기억을 담아보는 건 어떨까. 이 시집은 여기에서 시작했습니다.

'청춘'이라는 단어가 주는 감정은 무엇이고 '사랑'이라는 단어가 주는 감정은 또 무엇일까요? 사랑을 글로 배워 그럴듯한 문장들을 적었지만 제가 느끼는 사랑은 이런 것이 아닐지 생각해 봅니다.
사실 청춘과 사랑에 대한 시집이라고는 했지만, 사랑에 비중을 둔 거 같아요. 역시 사랑이 청춘보다 감정이 오래가기 때문일까요?

글을 쓰기 전 이런 생각을 했습니다. 항상 사랑에 관한 이야기만 적었던 제가 청춘을 이야기할 수 있을까. 하지만 이런 생각을 잠시 접고 같이 예쁜 표지 디자인을 해주신 양파님에게 감사드립니다.
또 부족한 글을 보고 피드백을 해주신 소수 작가님, 글을 보여줄 때 예쁜 말만 해주는 수지, 열심히 답해주는 연주, 늘 곁에서 좋은 에너지를 주는 서빈, 그 밖에 응원해 주신 많은 분들께도 이 자리를 빌려 감사하다는 말 전하고 싶습니다.

저의 첫 작품인 <에필로그>에 당신들이 있어 빛났으며 작은 바람이 있다면 이 책을 읽을 때만큼은 사랑을 마음껏 느꼈으면 좋겠습니다.
정말 그렇게 느껴주신다면 이 책의 쓸모는 다 했다고 생각합니다.

2024년 7월 솔레이

에필로그

발　행 | 2024년 07월 17일
저　자 | 솔레이
펴낸이 | 한건희
펴낸곳 | 주식회사 부크크
출판사등록 | 2014.07.15.(제2014-16호)
주　소 | 서울특별시 금천구 가산디지털1로 119 SK트윈타워 A동 305호
전　화 | 1670-8316
이메일 | info@bookk.co.kr

ISBN | 979-11-410-9560-4

www.bookk.co.kr